《黃賓虹全集》編輯委員會編

黃賓虹全集

2

山水卷軸

山東美術出版社・浙江人民美術出版社

主　編・王伯敏
分卷主編・童中燾　王克文　陸秀競　王大川

目次

導語・澄懷觀化

澄懷觀化，須于静中求之，不以繁簡論。

——黄賓虹自題畫

二十世紀前後，西方繪畫及藝術教育體系進入中國，黄賓虹的同輩和晚輩中也有人大膽以西畫『改造』中國畫而創新畫法，成功部分甚至已成爲新傳統。黄賓虹志存『竭力追古，傳無盡燈』，堅守着傳統的空間觀和中國畫的表達語言，維護它的民族性。然而他面臨的困境并不僅在于西畫藝術觀的滲入，還有畫壇末流者于古法上的湮失。古法湮失的一個重要原因，是近古以來畫者與自然界的關係隔膜，『師法自然』變成空洞的説教，筆墨只剩下程式，創造力日趨衰微。黄賓虹指其爲『紙上山水』『奄奄無生氣』，是爲中肯。

早在山水畫濫觴期，東晋畫家宗炳在《山水畫序》中已有『身所盤桓，目所綢繆』的寫生經歷。他把觀察、體悟與把握自然物象的過程稱爲『應目會心』而後的『神超理得』。更重要的是，觀山水與畫山水的過程和目標成了『澄懷』與『卧游』。人與自然世界本無間隔，可以『解衣盤礴』，一無挂礙地融入已被情感或詩化了的自然之中。畫者可主動地抽象自然物象的特徵，爲了某種關乎自然生命的哲思或詩情可以『隨心』措置物象的空間關係。黄賓虹遇到的挑戰之一，是如何準確詮釋這一中國畫創作觀的精髓，然後才談得上立足本體的創造性。

爲尋證『畫史正軌』，黄賓虹從晚明『啓禎諸賢』入手。而如何恢復畫者與自然的關係，也曾是『啓禎諸賢』們的重要課題。鄉先賢新安派中人如漸江、戴本孝、程正揆等，與當時衆多論『六法』著述大唱异調，提倡晋人如前述宗炳的『澄懷』與『卧游』傳統，批判時人不解謝赫『六法』論，斤斤于成法程式而湮失了『技進于道，道法自然』的理法淵源。戴本孝有詩曰：『欲將形媚道，秋是夕陽佳。六法無多德，澄懷豈有涯。』『六法』只是方法途徑，『澄懷』才是畫者之旨歸。漸江築居室徑題爲『澄懷軒』，程正揆數年竟作《卧游圖》五百卷分贈友好，也是痛感時人的庸碌或疲于勢利，已久違了『澄懷』與『卧游』之初衷。晚明社會危機四伏，士人學子詩思孱弱而畫道日趨『凄迷瑣碎』，『遺民畫家』却重提『以形媚道』『澄懷觀化』這樣的經典命題，倡導回復與自然關係融洽的傳統，講求氣格胸襟。即使今日，也足以令人對他們的自覺意識、文化傳承意識油然生敬意。作爲新安後來者，亦遭逢民族顛危的黄賓虹，與先賢們堅持這一傳統的呼應，顯然緣自一種内在的邏輯關係。

一九三五年，黄賓虹再次赴廣西講學，再次過道廣州、香港。二三十年代，廣州畫壇有一幫堅持中國畫學傳統的學者、畫家，與高劍父兄弟及陳樹人等摻入日本畫法的所謂『折衷派』有過激烈的論爭。黄賓虹與粤、港學者、畫家多有聯絡，雖與論爭雙方皆爲朋友，但立場却在『國畫研究會』一邊。對如何保全中國畫的純粹性，黄賓虹有這樣一段論述：『習國畫與習洋畫不同，洋畫初學，由用鏡攝影實物入門；中國畫以神似爲重，形似爲輕，須以自然筆墨出之，故必明各家筆墨皴法，乃可寫生。』中國畫與西畫大异徑庭，求『神似』，以『自然筆墨出之』，『必明各家筆墨皴法』，即必須明確中國畫的美學特性并掌握基本表現手段之後『乃可寫生』。可見，寫實景不是最終目的，『澄懷觀化』是不易進入的境界。所以，我們考察黄賓虹如何師法自然，重點放在一九二五年至一九三七年間的數次黄山以及雁蕩山、桂林、四川等壯游經歷。因爲在這一過程裏，他開始從古人成法的研習、摹擬中脱化出來，在徜徉于山水、沉浸于自然的生命感悟中，逐漸有了自己的風格基調和個性語言元素。而這種風格基調、語言元素正體現了黄賓虹對宋元原創經典的獨到闡釋。在親炙自然，在用心營造『夜山』『雨山』和『陰面山』的過程中，他用筆墨語言闡釋和激活宋元的精神。

我們知道，五代、北宋山水大師們的『雲中山頂』『四面峻厚』，已成爲我們寄寓偉岸或敬穆之意的一個永恒的『意象』傳統。明末龔賢用積墨法營造出以往少見的體量感，是爲表現厚重雄渾的一種獨特方式。黄賓虹看重龔賢的體量感表現，但他更注重筆綫勾勒。在重筆法勾勒的前提下，開拓濃黑積染以外的墨法，是其努力方向。黄賓虹選擇一個更具體、獨特的時空——夜山，來體現宋畫式的『四面峻厚』。他乾脆認爲北宋畫『如行夜山』，其濃墨叠染中的虚白處，就是『夜色』濃重裏的『一炬之燈』。夜山、一炬之燈，這種濃厚深廣意象所産生的巨大張力，一定深深地激動着黄賓虹。用畫夜山這一具體的題材而貼近宋人經典，是他在山水領域的獨闢蹊徑。

『嘗于深宵人静中，啓户獨立領其趣』。一九三一年，黄賓虹居游浙南雁蕩山旬餘，宿靈岩寺，令寺僧驚奇的是，這位年近七十的老畫師，獨于夜暮來臨時携紙筆向山深處摸索前行，歸來時畫紙上并不能辨其所畫，而臉上、衣袖已被染黑。一清早，他又攀上高處，看夜間曾似沉沉呼吸的群峰如何在晨曦中漸次顯豁。他對人描述這一經歷時説，夜色静謐中，四面群峰如鐵城森然，而旭日升起，起伏的群山又猶如生命旺盛的『生龍活虎』，或蹲或踞或奔跑跳躍，他體會到了『什麽叫萬壑奔騰』。要『鐵城森然』，須筆綫質實剛性、積墨深厚，此即宋人所擅。要『萬壑奔騰』，須讓勾勒之筆綫綿韌并運動起來，且點染須見節奏，這是元人書法用筆的精義。黄賓虹在這裏下足了功夫。

『元氣淋漓幛猶濕』，是歷代大師于墨法『力争上游』的目標。黄賓虹對此有一明白的論述：『元氣淋漓幛猶濕，是論墨法而筆法已在其中，先有筆力，而後墨法華滋。』他在研究畫史中還發現，『唐宋人善用濃墨，而元明失之』；『婁東、虞山亦求墨法，于酣暢之意未足者，因腕力荼弱耳』。黄賓虹于墨法探求，先求濃墨、飽墨，即先從實處着力，即是一貫的思路。

『澄懷觀化，須于静中悟出』。暮色四合，萬籟俱静，正合『解衣盤礴』『卧游』其間。于極静處方可捫及生命的律動，于極黑暗中方能洞察生命之幽微，于極沉實方能見出極虚靈。寫夜山之月色，當有古人『未盡之妙』。黄賓虹有詩曰：『我從何處得粉本，雨淋墻頭月移壁。』『月移壁』就是他令人叫絶的一個發現。月夜觀山，就手勾畫山廓，當是黄賓虹游歷山川時的功課。舉頭清空，步移月移，尤其月光瀰漫的峰尖與天際間，光影變幻微妙無窮，有如杜甫詩『石上藤蘿月』。在迷離朦朧之真景與畫訣『虚中實，實中虚』之間，黄賓虹找到了理法的依據。我們今天看黄賓虹所畫峰尖，在釵股般的山廓勾勒與坡麓之間有微妙的虚白以表現空間與光影，遙想龔賢甚至元人宋人，也會擊節以稱罷。

夜山、雨山是黄賓虹同時并舉的畫題。在雁蕩山，同游的旅行家、攝影家蔣叔南所作《偕黄賓虹冒雨游二靈》詩中有『先生擅有淋漓筆，多少烟巒帶雨收』句，記録其畫雨山圖情形，而雨山圖更傾向『元氣淋漓』的墨法嘗試。《青城山中坐雨》㊀還留下這麼一個典故：春季成都天氣多變，一日，黄賓虹漫步青城山中，豪雨驟至，路人紛紛奪路躲避，惟黄賓虹仍徑自往山中行去，并挑一寬闊山岩石背坐下，傾聽風雨挾着山林呼嘯，凝望對面峰巒岩壁間的雨瀑奔涌。黄賓虹有詩記下這段經歷：『潑墨山前遠近峰，米家難點萬千重。青城坐雨乾坤大，入蜀方知畫意濃。』

體驗和表現烟雨迷濛或大雨滂沱，當是黄賓虹上追古人的『水墨神化』諸法，不惜在古稀之年用大雨澆頭的體驗方式，尋證古人如米芾寫烟雨雲山的『落茄點』與『雨點』和自然是怎樣的一種融通關係。從中，獲得了來自自然生命的新境界——畫意濃，獲得米芾也未必盡知的新技法元素——『萬千重』。黄賓虹下如此心力捕捉具體時空裏的自然景象以及嘗試諸般筆墨的表現，其真正用心并不僅僅在于那個『夜』與『雨』的描繪，也不僅僅爲回溯宋元傳統，而是用這樣的方式，在這樣的過程裏『澄懷觀化』『静參内美』，從而構築起自己的心源與造化同構的『意象』系統。在這裏，傳統理法、自然大化與黄賓虹自己的心智與激情熔爲一爐，中國畫藴含的民族性格，也在黄賓虹這裏被堅守、被再開新生面。

注釋：

㊀見第一卷第二三二頁

山水卷軸圖版

·一九四九——一九五二年

白岳紀游　紙本　縱一〇一厘米　橫三一厘米　一九四九年作　香港緣山堂藏

題識：靈窟天蒼潤　奇峰地鬱盤　晴空山界白　踏雪扣松關　紫霄岩　白岳紀游　己丑　賓虹年八十又六

鈐印：黃賓虹　取諸懷抱

山水　紙本　縱八七・六厘米　橫三一・二厘米　浙江省博物館藏

鈐印：黃賓虹　賓虹

山水 紙本 縱八四厘米 橫三二厘米 安徽省博物館藏

鈐印：賓虹 虹廬

山水　紙本　縱八三・四厘米　橫三一・六厘米　浙江省博物館藏

鈐印：黃賓虹印

蜀山紀游　紙本　縱六六·八厘米　橫三四·二厘米　一九四九年作　西泠印社藏

題識：蜀山紀游　八十六叟賓虹

鈐印：黃賓虹八十後詩書畫印

山水

紙本　縱八九·五厘米　橫四四·五厘米　浙江省博物館藏

山水 紙本 縱七一厘米 橫三一厘米 浙江省博物館藏

鈐印：賓虹

山水
紙本　縱九六厘米　橫三三·五厘米　浙江省博物館藏

山水 紙本 縱一〇一厘米 橫三四厘米 一九四九年作 私人藏

題識：莅青先生得黃莘田所藏硯 拓以雲歸草堂名其齋 寫此即希粲正 己丑賓虹年八十又六

鈐印：黃賓虹 冰上鴻飛館

萬羅山居　紙本　縱一一六・七厘米　橫四〇・七厘米　一九四九年作　浙江省博物館藏

題識：金華山　以赤松宮黄初平叱石成羊爲最著　此寫萬羅山居　作浙東紀游　己丑　賓虹年六十又八得圖　今重作　更閲寒暑已

鈐印：黄賓虹印　黄山山中人

仙山樓閣　紙本　縱六六厘米　橫三三・五厘米　一九四九年作　香港緣山堂藏

題識：仙山樓閣　己丑　八十六叟賓虹寫

鈐印：黃賓虹八十後詩書畫印

灕水奇峰　紙本　縱一〇五厘米　橫三四厘米　一九五〇年作　私人藏

題識：全祖望言灕水一名融水　乃牂牁江之下流　分鬱水豚水諸川入于交州歷三十六灘而爲灕水　賓虹紀游　庚寅年八十又七　順來先生雅屬

鈐印：黄賓虹印　烟霞散人

山水　紙本　縱一〇二·二厘米　横四六·八厘米　浙江省博物館藏

山水 紙本 縱一〇七·三厘米 橫三四·三厘米 浙江省博物館藏

鈐印：賓虹

山水 紙本 縱一四二·五厘米 橫五〇厘米 浙江省博物館藏

鈐印：黄賓虹印

山水

紙本　縱八五·一厘米　橫三一厘米　浙江省博物館藏

孤岩敞閣倚江天　紙本　縱一二四・五厘米　橫四七厘米　浙江省博物館藏

題識：征蠻當日想樓船　銅柱功高靖遠邊　灘水至今遺像在　孤岩敞閣倚江天

鈐印：黃賓虹　賓虹草堂

灕江山水　紙本　縱一〇三厘米　橫三三厘米　私人藏

題識：灕水自柘山之陰西北流合零渠　始分爲二水　昔秦命御史監禄自零陵鑿至桂林　漢歸義粵侯爲戈船下瀨　將軍出零陵下灕水即此　賓虹紀游　庚寅年八十七　重題于西泠

鈐印：黃賓虹印　烟霞散人

山水　紙本　縱九五·六厘米　横四二·七厘米　浙江省博物館藏

山水 紙本 縱一〇三·九厘米 橫三四·三厘米 浙江省博物館藏

鈐印：黄賓虹印

山水 紙本 縱八八厘米 橫三一·八厘米 浙江省博物館藏

山水

紙本　縱八七厘米　橫三二·五厘米　浙江省博物館藏

山水 紙本 縱一二一·五厘米 橫四一厘米 安徽省博物館藏

題識：范華原畫深墨如夜山 沉鬱蒼厚 不爲輕秀 元人多師之 賓虹

鈐印：黃賓虹

蜀江紀游　紙本　縱八九厘米　橫三四厘米　香港緣山堂藏

題識：蜀江雲裹喚鈎輈　幾片殘花萬樹稠　未換征衣逢入夏　一年春事在行舟　蜀江紀游　賓虹寫

鈐印：黄賓虹　竹北移

臨安山色 紙本 縱一〇三·五厘米 橫三四·五厘米 一九五〇年作 西泠印社藏

題識：北宋畫家筆墨皆積千百遍而成 渾厚華滋 脱去唐人刻畫之迹 不爲獷悍浮薄 兹以臨安山色擬之 八十七叟賓虹

鈐印：黄賓虹

山水
紙本 縱一〇二厘米 橫三二·五厘米 浙江省博物館藏

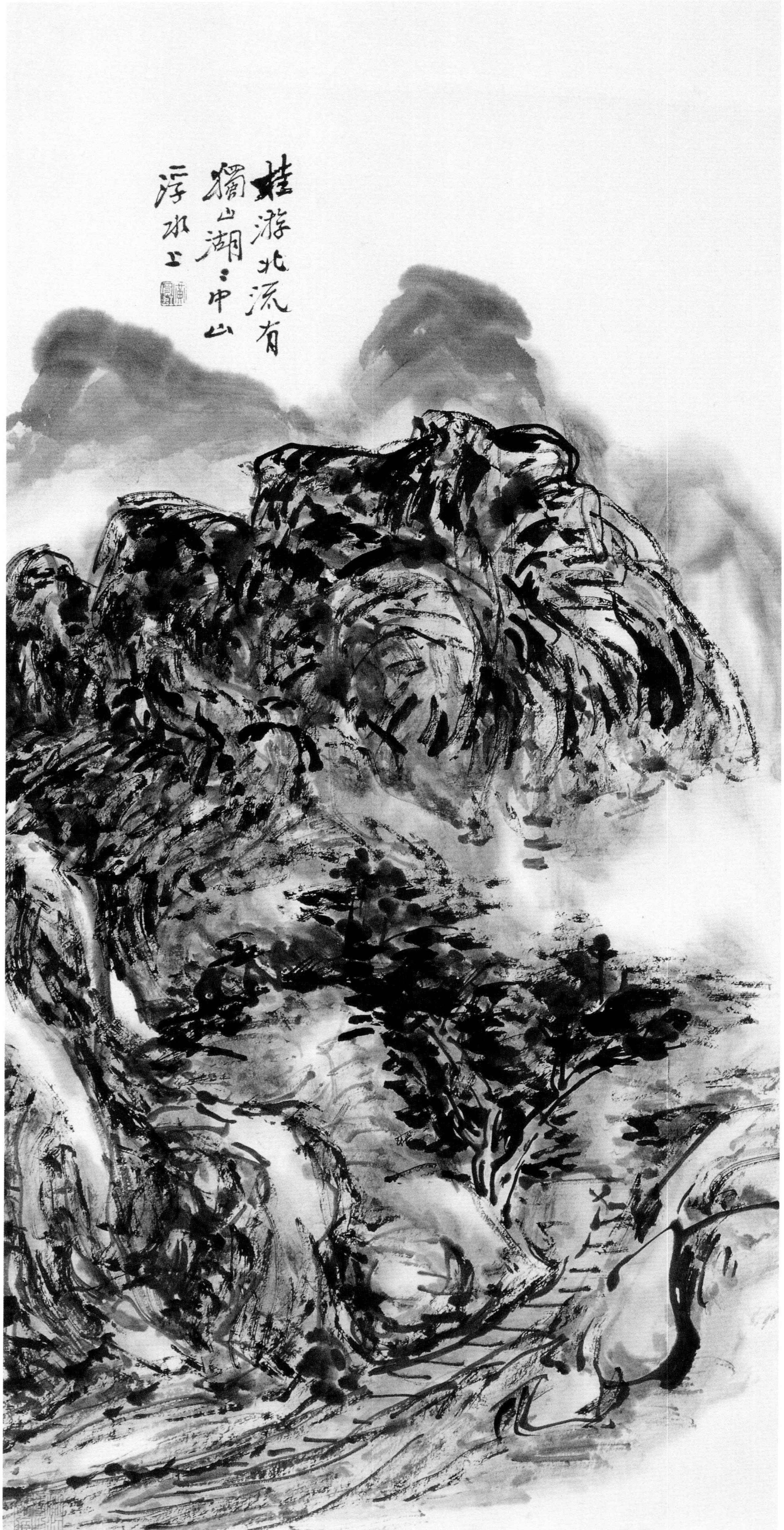

獨山湖 紙本 縱六〇厘米 橫三〇厘米 浙江省博物館藏

題識：桂游北流有獨山湖 湖中山浮水上

鈐印：黃賓虹

山水 紙本 縱八一·五厘米 橫三六·五厘米 浙江省博物館藏

山水

紙本　縱九〇厘米　橫三二·五厘米　浙江省博物館藏

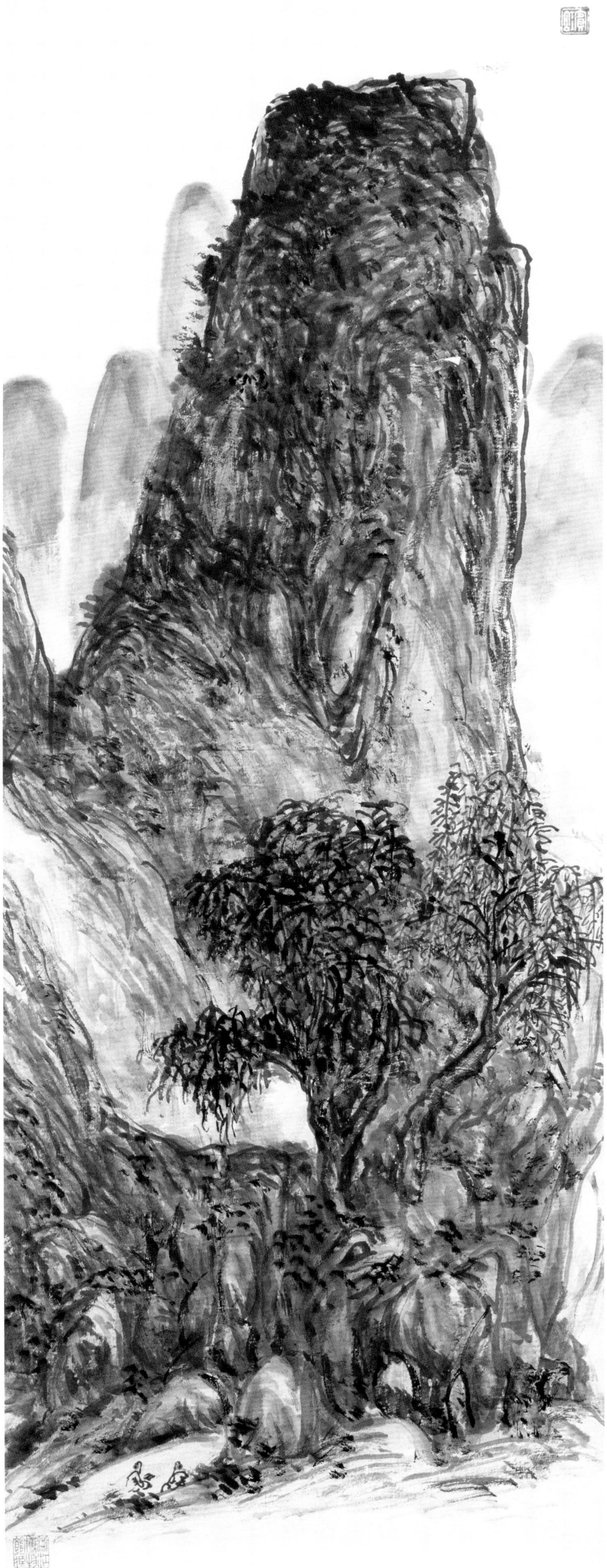

山水 紙本　縱八八・二厘米　橫三一・六厘米　浙江省博物館藏
鈐印：賓虹

山水　紙本　縱一〇四厘米　橫三四厘米　浙江省博物館藏

山水 紙本 縱八七·五厘米 橫三一·五厘米 浙江省博物館藏

鈐印：賓虹

山水 紙本 縱八一・一厘米 橫四八・二厘米 浙江省博物館藏

山水 紙本 縱七四·七厘米 橫四七·七厘米 浙江省博物館藏
鈐印：黄賓虹印

西溪紀勝　紙本　縱一三〇・五厘米　橫五一・五厘米　一九五〇年作　中國美術學院藏

題識：新晴湖上游　一葉漾扁舟　極目尋源路　溪山深處樓　庚寅秋日　西溪紀勝
黃山賓虹年八十七歲

鈐印：黃賓虹

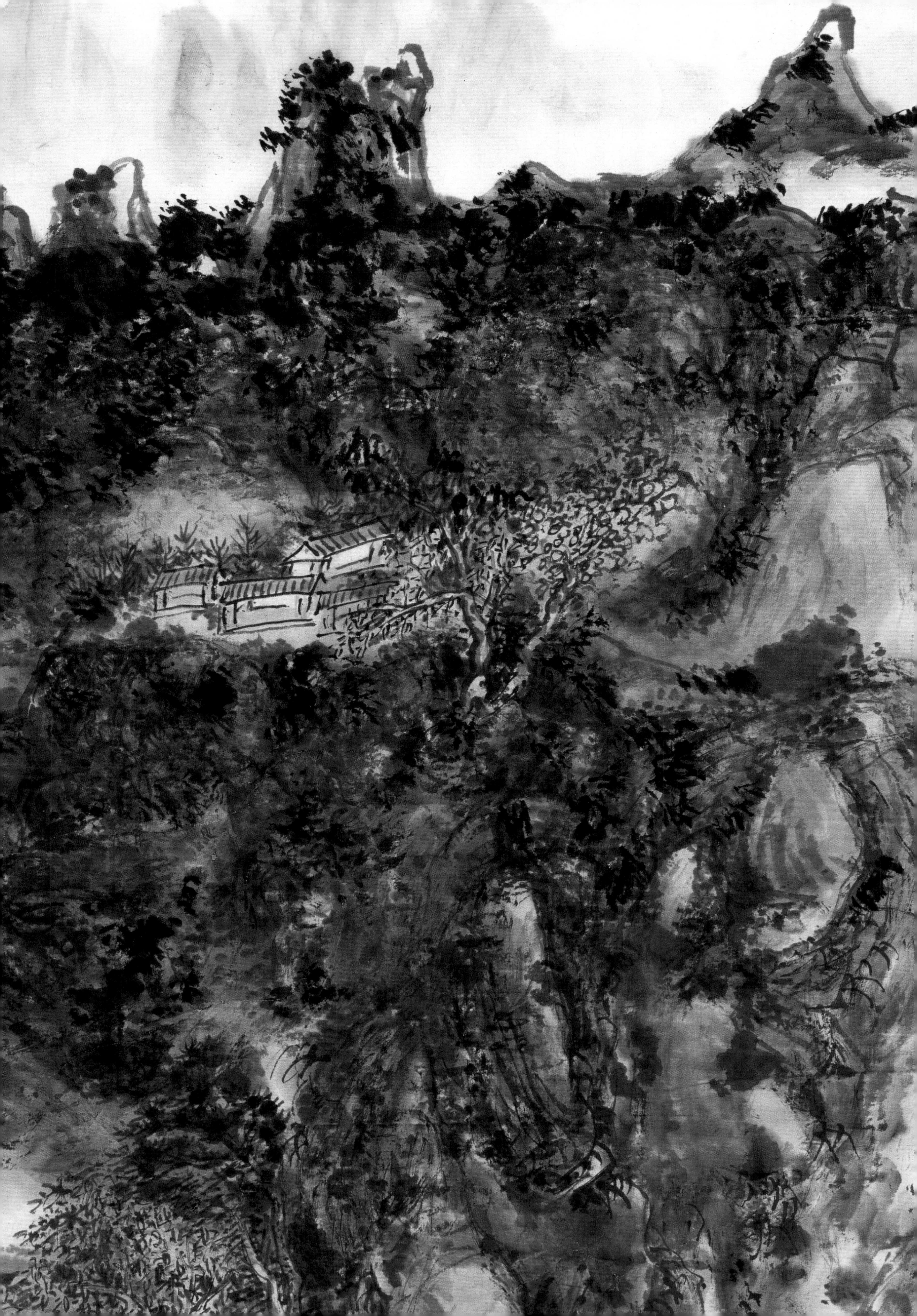

山水

紙本　縱七四·一厘米　横三九·八厘米　浙江省博物館藏

山水　紙本　縱七六・一厘米　橫四〇・八厘米　浙江省博物館藏

題識：毗陵鄒衣白筆意全于晉魏六朝畫悟出　近觀敦煌發顯唐開元賈至真迹　錐沙印泥之妙　超出于王維鄭虔之上　可以想見　黃山賓虹

鈐印：黃賓虹

山水　紙本　縱七四厘米　橫二四・五厘米　私人藏

鑒藏題識：賓翁自是畫中王　丈楮尺縑我愛藏　纍積百餘今散盡　堂堂一幅寶靈光
此畫爲賓老寫給汪改廬故友　今尚存在人間　至爲寶貴　其鄉人曹靖陶先生題此絶句　以示所珍　其子孝文屬余寫之　時七三年六月十七日也　林散之時客南京
鑒藏印：□年　散之私印

湖山欲雨　紙本　縱三三厘米　橫一〇〇厘米　一九五〇年作

天津人民美術出版社藏

題識：湖山欲雨　乾英道兄先生屬　八十七叟賓虹

鈐印：黃賓虹印

山水 紙本 縱八八・二厘米 橫三六・一厘米 浙江省博物館藏

鈐印：潭上質印 賓虹

山水

紙本　縱九六厘米　橫三七厘米　浙江省博物館藏

西泠橋上 紙本 縱六二厘米 橫三二厘米 一九五〇年作 上海市美術家協會藏

題識：西泠橋上望棲霞嶺 用北宋人畫法寫之 庚寅臘月 八十七叟賓虹

鈐印：黃賓虹

山水

紙本 縱九〇·五厘米 橫四九厘米 浙江省博物館藏

山水 紙本 縱八六·九厘米 橫三一厘米 浙江省博物館藏

鈐印：黄賓虹印

山水 紙本 縱八一・六厘米 橫三一・一厘米 浙江省博物館藏

鈐印：黃賓虹印

山水 紙本 縱九五·六厘米 橫四四·一厘米 浙江省博物館藏

山水　紙本　縱七六·七厘米　橫三六厘米　浙江省博物館藏
鈐印：黄賓虹印

山水 紙本 縱七五·三厘米 橫三五厘米 浙江省博物館藏

鈐印：黃賓虹印 虹廬

擬北宋山水　紙本　縱七五·五厘米　橫三九·三厘米　一九五〇年作　中國美術館藏

題識：明季啓禎中　士夫畫者多宗北宋　細而不纖　粗而不獷　較學倪黃爲勝　玆擬其意

庚寅臘月　八十七叟賓虹

鈐印：黃賓虹

山水 紙本 縱九一·三厘米 横四三·一厘米 浙江省博物館藏

山水 紙本 縱七五·八厘米 橫三九·七厘米 浙江省博物館藏
鈐印：潭上質印 賓虹

全州紀游　紙本　縱九〇·五厘米　橫二三厘米　私人藏

題識：桂嶺橫烟靄　湘流漾淥波　迢遞舊游路　瞻望復如何　全州紀游　賓虹

鈐印：黃賓虹　取諸懷抱

山水　紙本　縱八九·五厘米　橫三一·五厘米　浙江省博物館藏

山水
紙本　縱八六·三厘米　橫三〇·五厘米　浙江省博物館藏

山水　紙本　縱一〇四・一厘米　橫三三・一厘米　浙江省博物館藏

題識：湘水源出陽海山　而灕水乃牂牁江下流　南下興安地勢高　二水遠不相謀　史祿始作靈渠　派湘之流而注之灕　使北水南合　然則灕水不出陽海　其自陽海導湘水使合灕水者　皆史祿之力也

鈐印：黃賓虹　片石居

山水　紙本　縱八八厘米　橫三二厘米　浙江省博物館藏

山水 紙本 縱六四厘米 橫二七·三厘米 浙江省博物館藏

鈐印：黃賓虹

山水 紙本 縱八六·九厘米 橫三一·八厘米 浙江省博物館藏

鈐印：黄賓虹印

山水 紙本 縱八五厘米 橫三一·五厘米 浙江省博物館藏

鈐印：黃賓虹印

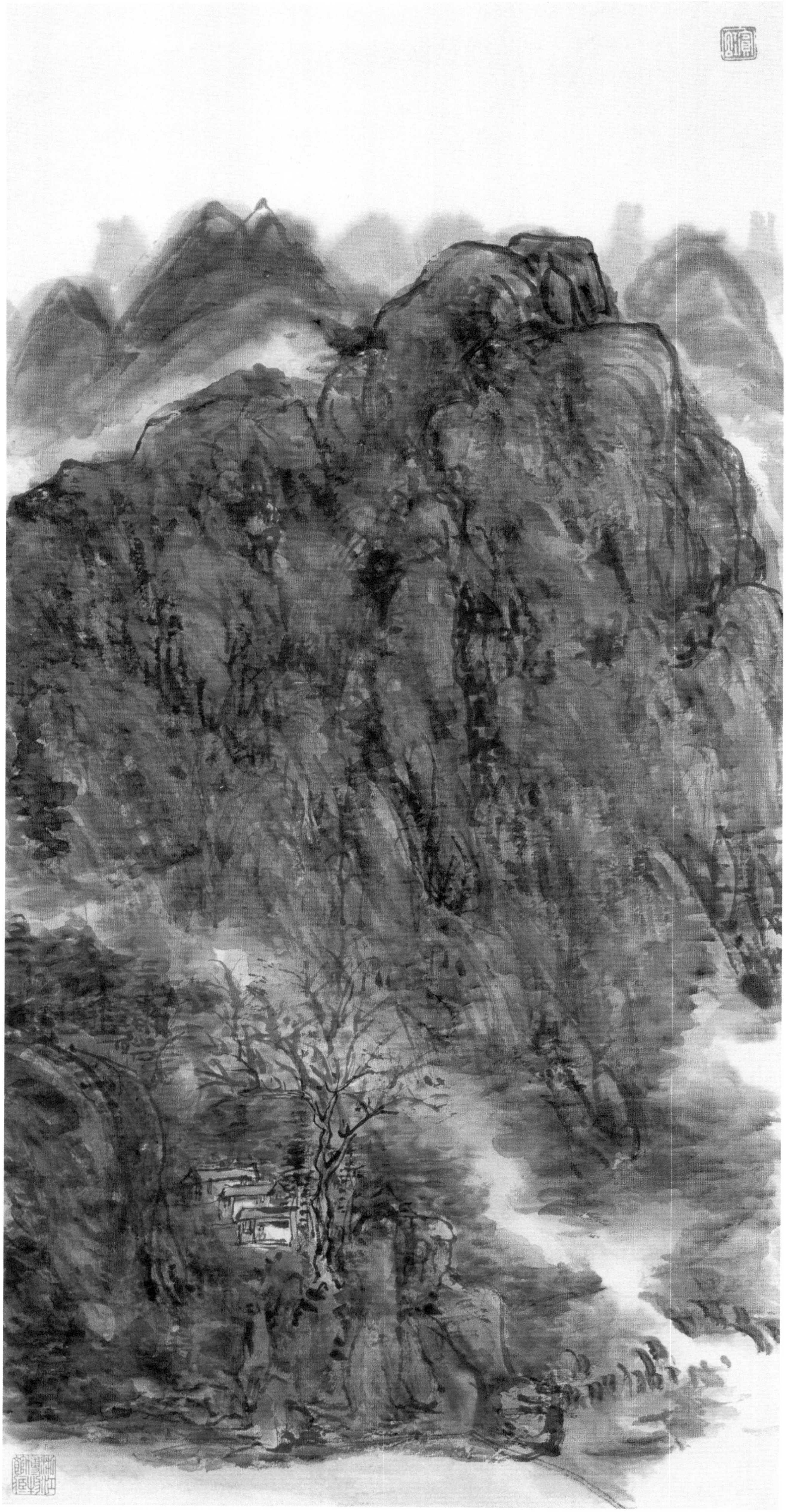

山水 紙本 縱六七·三厘米 橫三三·一厘米 浙江省博物館藏

鈐印：賓虹

山水

紙本　縱七四·五厘米　橫四〇厘米　浙江省博物館藏

山水 紙本 縱六三·七厘米 橫二九·九厘米 浙江省博物館藏

鈐印：黃賓虹

棲霞嶺下曉望　紙本　縱四八·四厘米　橫二六·五厘米　一九五〇年作　浙江省博物館藏

題識：棲霞嶺下曉望寫此　庚寅臘月　八十七叟賓虹

鈐印：黃賓虹　竹窗

湖山清興 紙本 縱八九厘米 橫三二·五厘米 一九五〇年作 香港緣山堂藏

題識：湖山清興 永强先生屬粲 八十七叟賓虹 庚寅

鈐印：黃賓虹 烟霞散人

棲霞嶺下曉望　紙本　縱六七厘米　橫三三厘米　一九五〇年作　私人藏

題識：棲霞嶺下曉望　以范寬意寫此　永楨先生屬粲　八十七叟賓虹

鈐印：黃賓虹

山水 紙本 縱八九・五厘米 橫三六・五厘米 浙江省博物館藏

西海門 紙本 縱七一·五厘米 橫三四厘米 安徽省博物館藏

題識：西海門 賓虹

鈐印：黃賓虹

蜀山紀游 紙本 縱九〇厘米 橫三三厘米 一九五一年作 香港緣山堂藏

題識：嘉陵江上山水 李思訓吳道玄畫之 正如枚工馬速 漢魏之文 清新庚開府

余于逸趣中擬之 辛卯 八十八叟賓虹

鈐印：黃賓虹 蜀山紀游

山水 紙本 縱一〇七厘米 橫三六·五厘米 浙江省博物館藏
鈐印：黄賓虹印

山水

紙本　縱六二厘米　橫三〇厘米　浙江省博物館藏

雲林叩野齋　紙本　縱一〇〇厘米　橫三二·二厘米　浙江省博物館藏

題識：層巒雲上佳　曉色愜幽懷　載得烏程酒　雲林叩野齋

鈐印：黃賓虹

山水 紙本 縱六六·九厘米 橫三五·九厘米 浙江省博物館藏

鈐印：黃賓虹印

山水 紙本 縱七四厘米 橫三八·五厘米 浙江省博物館藏

鈐印：黄賓虹 黄山山中人

嘉陵江上　紙本　縱九〇厘米　橫三二·五厘米　一九五一年作　香港緣山堂藏

題識：世稱江山如畫　江山正不如畫　以無人工之剪裁耳　余游嘉陵江上　別有取境
不襲古人　辛卯　八十八叟賓虹

鈐印：黃賓虹　蜀山紀游

山水　紙本　縱一一四厘米　橫三四厘米　浙江省博物館藏

山水 紙本 縱八六·七厘米 橫三九·四厘米 浙江省博物館藏

山水 紙本 縱八五·三厘米 橫四三·九厘米 浙江省博物館藏

鈐印：賓虹

溪橋欲雨　紙本　縱一〇一·五厘米　横四〇厘米　安徽省博物館藏

題識：溪橋欲雨　山行所見　以方方壺筆意寫之　賓虹

鈐印：黄賓虹　虹廬

山水

紙本　縱八七厘米　橫三二·五厘米　浙江省博物館藏

山水 紙本 縱七九厘米 横三二·五厘米 中國美術館藏

題識：畫以格高意古　墨妙筆精　景物幽閑　思遠理深　氣象瀟灑者爲上　未可形狀摹擬得之

士杰先生屬　賓虹

鈐印：黄賓虹　虹廬

湖山勝境　紙本　縱九七厘米　橫三七厘米　一九五一年作　香港緣山堂藏

題識：宿雨初收　曉烟未泮　湖山勝境處處靈活方可入畫　人不易知　辛卯　八十八叟賓虹

鈐印：黃賓虹　取諸懷抱

山水

紙本 縱八二·五厘米 橫三二厘米 浙江省博物館藏

山水

紙本　縱八八・五厘米　橫三二・五厘米　浙江省博物館藏

山水　紙本　縱八九厘米 橫三一厘米　一九五一年作　香港緣山堂藏

題識：北宋畫重巒叠嶂于高遠之法　着意流泉飛瀑　奔騰迴折　若隱若顯　沉雄渾厚　氣韵生動

元人以簡筆出之　優長剪裁得勢　尤不易學　辛卯　賓虹年八十又八

鈐印：會心處　黃賓虹　取諸懷抱

山水

紙本　縱九三厘米　橫三二·五厘米　浙江省博物館藏

山水 紙本 縱一〇〇·七厘米 橫四五·九厘米 浙江省博物館藏

鈐印：黄賓虹印 虹廬

山水

紙本　縱一三〇・九厘米　橫四六・九厘米　浙江省博物館藏

嘉陵江上舟行所見　紙本　縱八八·五厘米　橫三一厘米　一九五一年作　浙江省博物館藏

題識：嘉陵江上舟行所見　旦杉先生一笑　辛卯　八十八叟賓虹

鈐印：黃賓虹印

山水　紙本　縱九五·五厘米　橫三三·四厘米　浙江省博物館藏

鈐印：潭上質印

山水 紙本 縱九七厘米 橫三三厘米 一九五一年作 香港緣山堂藏

題識：辛卯春日 挹翠先生屬粲 八十八叟賓虹寫

鈐印：黃賓虹印 十硯千墨之居

山水　紙本　縱九六厘米　橫四三·五厘米　浙江省博物館藏

山水 紙本 縱九二·四厘米 橫三〇·七厘米 私人藏

題識：吳道子觀張僧繇畫 初不領解 諦視之再 乃三宿不去 人不易知
精鑒尤難 賓虹

鈐印：黃賓虹 虹廬

山水 紙本 縱八二·四厘米 橫三一·一厘米 浙江省博物館藏

鈐印：黄賓虹

松風流水　紙本　縱九六·八厘米　橫五五厘米　浙江省博物館藏

題識：半壑松風　一灘流水　此畫家尋常境界　天游雲西寥寥數筆　與墨華相掩映　斯境須從極能槃礴中得來　方不浮弱　余于王孟津仿范寬卷　不翅置身黄海間　賓虹

鈐印：黄賓虹

山水　紙本　縱九五·四厘米　橫五一·五厘米　浙江省博物館藏

湖山清曉　紙本　縱八九厘米　橫四二厘米　一九五一年作　香港緣山堂藏

題識：湖山清曉　挹翠先生屬正　辛卯　賓虹年八十又八

鈐印：黃賓虹　十硯千墨之居

溪山深處　紙本　縱二四厘米　橫五二厘米　一九五一年作

天津人民美術出版社藏

題識：溪山深處　右泉先生屬　辛卯　八十八叟賓虹

鈐印：賓虹

江南山水　紙本　縱二四厘米　橫五二厘米　天津人民美術出版社藏

題識：北宋畫以深厚沉着爲宗　兹寫江南山水　爲星白先生屬檕　賓虹

鈐印：黄冰虹

山水 紙本 縱一〇二·八厘米 橫四四·六厘米 浙江省博物館藏

鈐印：黄賓虹印 虹廬

富春江釣臺　紙本　縱六九厘米　橫三〇厘米　一九五一年作　香港緣山堂藏

題識：富春江上東西二臺高峙雲表　余曾登臨絶頂　得圖而歸　辛卯　八十八叟賓虹寫

鈐印：黃賓虹　取諸懷抱

山水 紙本 縱六六・五厘米 橫三三・四厘米 浙江省博物館藏

鈐印：黄賓虹

山水 紙本 縱七四·八厘米 橫三五·五厘米 浙江省博物館藏

雁蕩龍湫 紙本 縱七一・五厘米 橫二一・八厘米 一九五一年作 中國美術館藏

題識：雁蕩龍湫 雨後懸瀑千尺 游人翠濕襟袖間 時當六月 猶有寒意 辛卯 賓虹 年八十又八

鈐印：黃賓虹 片石居

山水

紙本　縱八二厘米　橫三二・五厘米　浙江省博物館藏

山水 紙本 縱八二·八厘米 橫三一·七厘米 浙江省博物館藏

山水　紙本　縱八四·六厘米　橫三一·三厘米　浙江省博物館藏

山水 紙本 縱八七·五厘米 橫三二厘米 浙江省博物館藏

山水 紙本 縱六二·一厘米 橫二九·七厘米 浙江省博物館藏
鈐印：黄賓虹

山水 紙本 縱八五·九厘米 橫四〇·一厘米 浙江省博物館藏
鈐印：黄賓虹印

山水　紙本　縱六七·五厘米　橫三三·五厘米　浙江省博物館藏

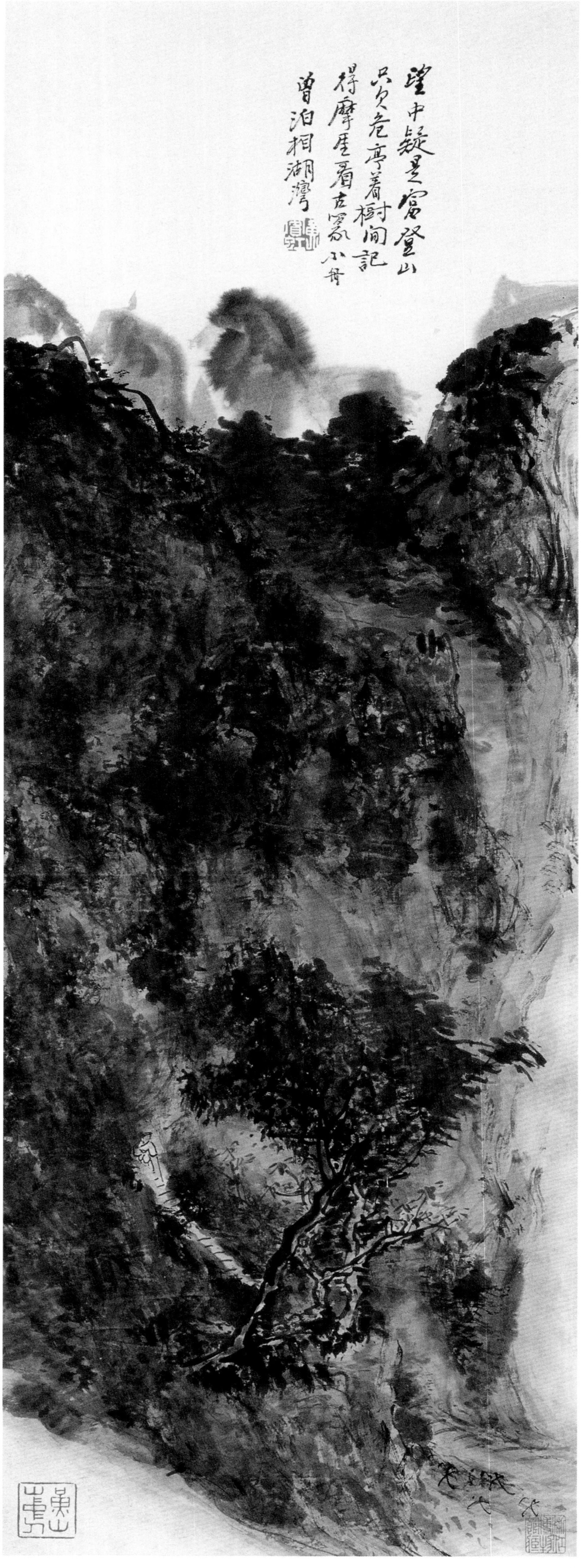

摩崖看古篆 紙本 縱七五·三厘米 橫二六·七厘米 浙江省博物館藏

題識：望中疑是富登山 只欠危亭着樹間 記得摩崖看古篆 小舟曾泊相湖灣

鈐印：黄賓虹 黄山山中人

山水 紙本 縱七七·五厘米 橫三三厘米 浙江省博物館藏

山水　紙本　縱九六厘米　橫三七厘米　浙江省博物館藏

山水 紙本 縱一〇二・三厘米 橫四〇厘米 浙江省博物館藏

鈐印：賓虹

山水 紙本 縱八八厘米 横四七厘米 浙江省博物館藏

鈐印：黄賓虹印

山水　紙本　縱八五·九厘米　橫三六厘米　浙江省博物館藏

青城樵者　紙本　縱五九厘米　橫三二厘米　香港緣山堂藏

題識：余曩游青城山遇樵者　左執所采爲黄連　其大如李　言求售　有客以重值得之　喜若狂　稱鷄血黄連　極不易覯　生有涯而知無涯　不誠然哉　辛卯　八十八叟賓虹重識

鈐印：黄賓虹　片石居　古岡挹翠

山水 紙本 縱八二厘米 橫四二・六厘米 一九五一年作 浙江省博物館藏

題識：孫雪弘畫山水 穠古方之夏禹玉是爲近之 居 賓虹年八十又八

鈐印：黃賓虹印

山水

紙本　縱八七厘米　橫三二厘米　浙江省博物館藏

臨安山色　紙本　縱一一〇厘米　橫三八厘米　一九五一年作　安徽省博物館藏

題識：渾厚華滋　畫生氣韻　然非真力瀰滿不易至玆　以北宋人法寫臨安山色爲之
八十八叟賓虹

鈐印：黃賓虹　取諸懷抱

山水 紙本 縱一〇一·三厘米 橫四六·一厘米 浙江省博物館藏

山水 紙本 縱七八・五厘米 橫五〇・二厘米 浙江省博物館藏

鈐印：賓虹草堂 黃質賓虹 竹窗

山水 紙本 縱八一·五厘米 橫三五厘米 安徽省博物館藏

題識：興會淋漓中方有不可一世之概 大痴最忌甜甜即軟熟 淪庸史矣 賓虹

鈐印：黃賓虹 興到筆隨

山水

紙本 縱六八厘米 橫二七·五厘米 浙江省博物館藏

遂寧道中 紙本 縱九一・五厘米 横三三厘米 一九五一年作 香港緣山堂藏

題識：遂寧道中 林壑清曠 閑亭小憩 塵慮爲消 辛卯 八十八叟賓虹

鈐印：黄賓虹 蜀山紀游

峨嵋山水 紙本 縱八七厘米 橫三二厘米 一九五一年作 香港緣山堂藏

題識：余游峨嵋 信宿洗象池 朝夕觀烟雲出没 歸則縱覽古人名迹以寫此 辛卯

八十八叟賓虹

鈐印：黄賓虹 蜀山紀游

山水

紙本　縱九六厘米　橫三七厘米　浙江省博物館藏

山水 紙本 縱八七厘米 橫三二厘米 浙江省博物館藏

山水 紙本 縱八一·五厘米 橫三五·七厘米 浙江省博物館藏

鈐印：賓虹

山水 紙本 縱一一六·五厘米 橫三九·三厘米 浙江省博物館藏

鈐印：黃賓虹印 虹廬

山水 紙本 縱一〇二·八厘米 橫三六·一厘米 浙江省博物館藏

鈐印：黄賓虹印

山水

紙本 縱七三·五厘米 橫三二厘米 浙江省博物館藏

山水 紙本 縱六八·二厘米 橫三一·四厘米 浙江省博物館藏

鈐印：黃質賓虹

山水 紙本 縱六二·五厘米 橫三三厘米 浙江省博物館藏

鈐印：賓虹

山水　紙本　縱八四厘米　橫四一厘米　浙江省博物館藏

山水

紙本　縱七三厘米　橫四六・九厘米　浙江省博物館藏

山水 紙本 縱一〇九厘米 橫三四厘米 浙江省博物館藏

山水 紙本 縱八九厘米 橫三一·五厘米 浙江省博物館藏

山水 紙本 縱八九厘米 橫三一·五厘米 浙江省博物館藏

山水 紙本 縱八九·六厘米 橫三三·一厘米 浙江省博物館藏

鈐印：黃賓虹印

山水 紙本 縱六八·二厘米 橫三二·七厘米 浙江省博物館藏

鈐印：黄賓虹

山水 紙本 縱六五厘米 橫三一厘米 浙江省博物館藏

山水　紙本　縱一〇八厘米　橫四五厘米　浙江省博物館藏

山水　紙本　縱一〇二厘米　橫四八·五厘米　浙江省博物館藏

江行紀游 紙本 縱一一〇·五厘米 橫四三·五厘米 安徽省博物館藏

題識：米南宮源出北苑 運以己意 不襲關董之貌 江行紀游因即擬之 賓虹

鈐印：黃賓虹 取諸懷抱

近游燕市得
返浙覽湖山
爽氣目寫棲
霞嶺下所見
如此
辛卯大暑
賓虹

湖山爽氣圖（局部）

山水 紙本 縱七六·五厘米 橫四一厘米 浙江省博物館藏
鈐印：潭上質印

湖山爽氣圖 紙本 縱三〇·六厘米 橫三〇〇厘米 一九五一年作 香港藝術館藏

題識：近游燕市得舊紙甚佳 返浙覽湖山爽氣 因寫栖霞嶺下所見如此 辛卯 八十八叟賓虹

鈐印：黃賓虹 緑雪軒

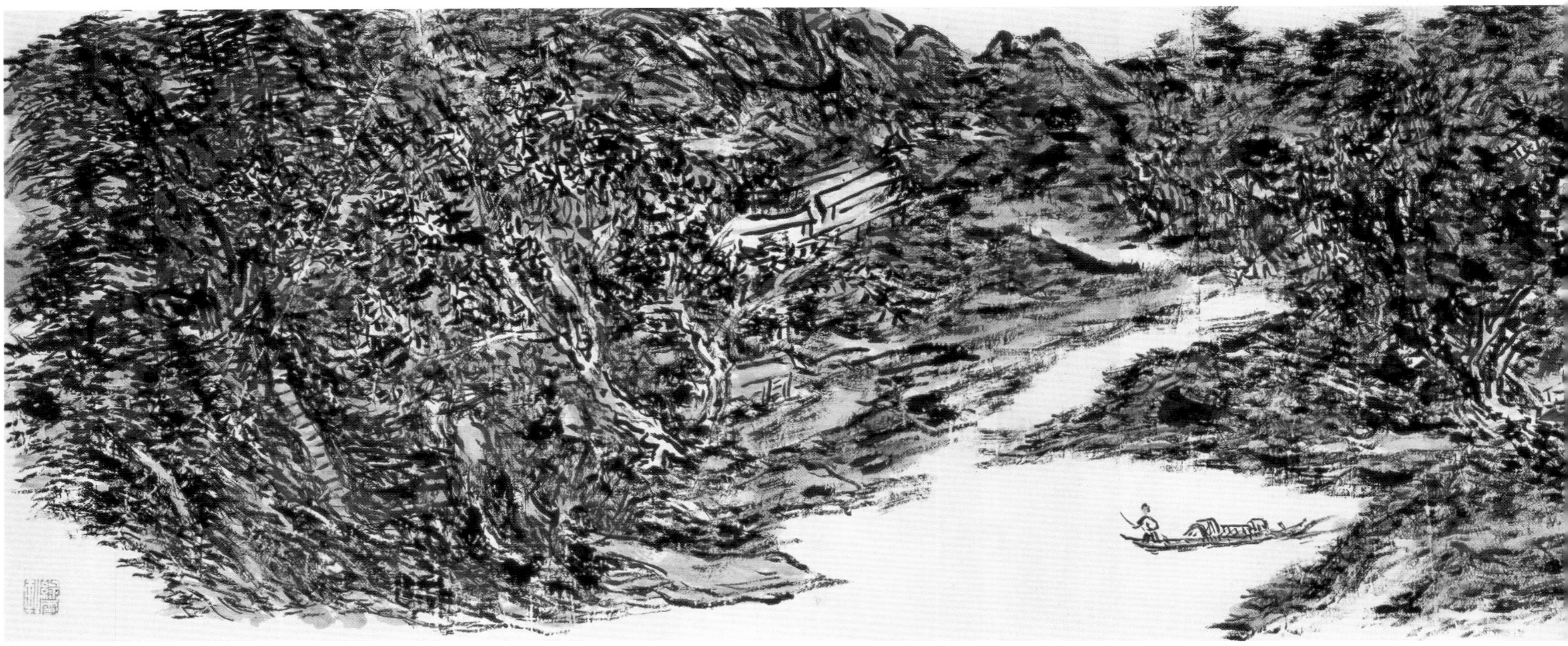

山水

紙本　縱九〇厘米　橫四八厘米　浙江省博物館藏

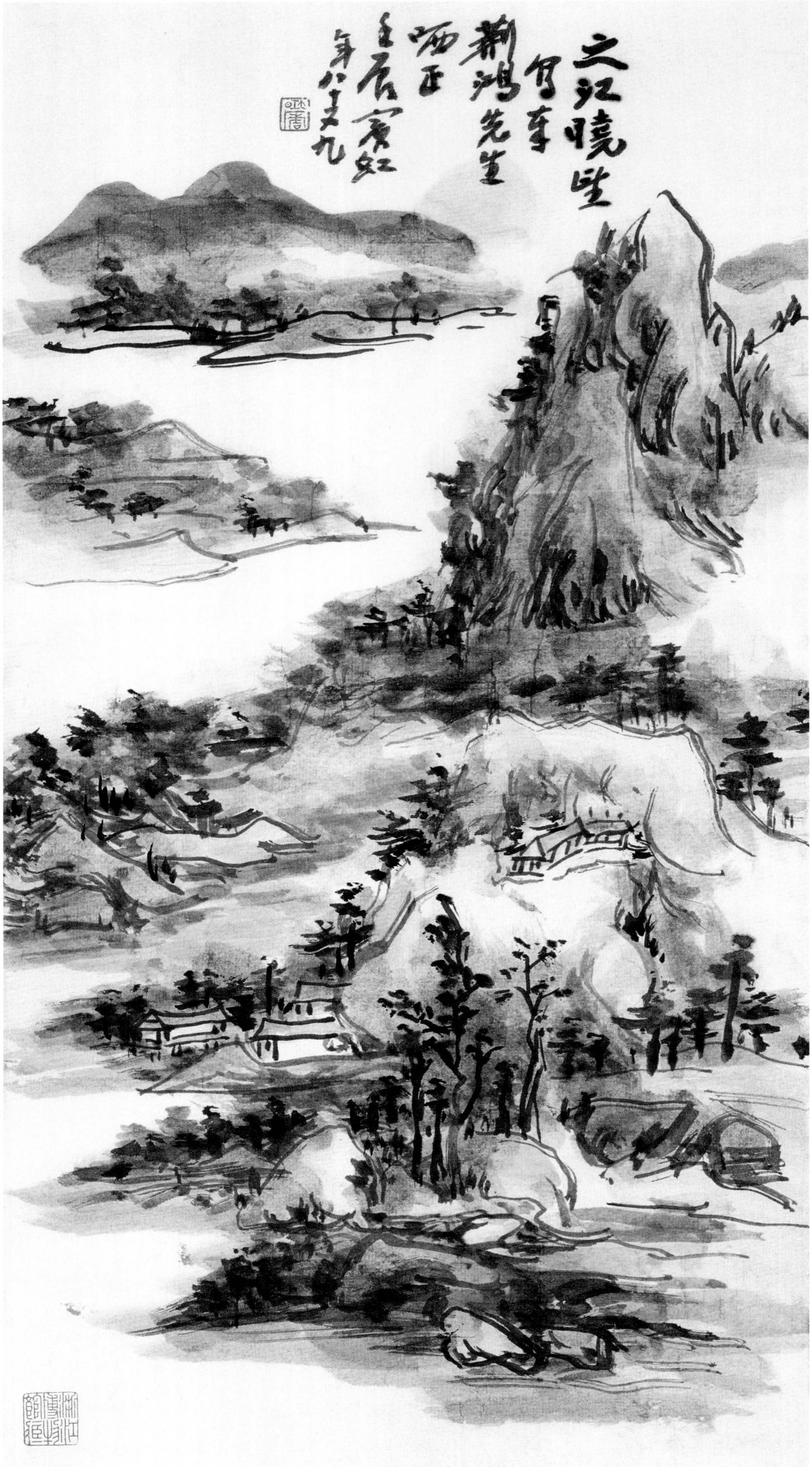

之江曉望　紙本　縱五二厘米　橫二七厘米　一九五二年作　浙江省博物館藏

題識：之江曉望　寫奉荊鴻先生哂正　壬辰　賓虹年八十又九

鈐印：虹廬

山水 紙本 縱六四・五厘米 橫三三厘米 浙江省博物館藏

鈐印：潭上質印

烟江叠嶂 紙本 縱八八厘米 横三〇·五厘米 一九五二年作 私人藏

題識：烟江叠嶂 壬辰 賓虹年八十又九

鈐印：黄賓虹

山水

紙本　縱八八厘米　橫三二厘米　浙江省博物館藏

山水

紙本　縱五六厘米　橫三三厘米　浙江省博物館藏

山水　紙本　縱五九厘米　橫三一厘米　浙江省博物館藏

山水　紙本　縱七二厘米　橫三二厘米　浙江省博物館藏

鈐印：黄賓虹印

山水

紙本　縱八七厘米　橫三〇・五厘米　浙江省博物館藏

山水 紙本 縱九六厘米 橫三七·五厘米 浙江省博物館藏

山水

紙本　縱八二厘米　横三三厘米　浙江省博物館藏

山水

紙本　縱八九·五厘米　橫三三厘米　浙江省博物館藏

山水　紙本　縱九〇厘米　橫三二厘米　一九五二年作　香港緣山堂藏

題識：元人層巒疊巘　淡而彌厚　高出唐宋　急于求脱　即蹈輕率之習　清道咸中畫追北宋　先由倪黃築基故勝　壬辰　賓虹年八十又九

鈐印：黃賓虹　取諸懷抱

山水 紙本 縱八八·三厘米 橫三一·五厘米 浙江省博物館藏

鈐印：黃賓虹印

山水

紙本　縱八〇厘米　橫三二厘米　浙江省博物館藏

山水 紙本 縱八八·二厘米 橫三一·二厘米 浙江省博物館藏

鈐印：賓虹

山水

紙本　縱一〇二厘米　橫四七·五厘米　浙江省博物館藏

山水 紙本 縱五七厘米 橫三二厘米 浙江省博物館藏

山水

紙本　縱八九厘米　橫三二厘米　浙江省博物館藏

山水

紙本　縱一〇四厘米　橫三五厘米　浙江省博物館藏

山水 紙本 縱八六·二厘米 橫三二·四厘米 浙江省博物館藏

山水 紙本 縱五九·五厘米 横三二·五厘米 浙江省博物館藏

山水

紙本　縱一〇三厘米　橫四七·五厘米　浙江省博物館藏

黃山小景　紙本　縱七六厘米　橫三四厘米　一九五二年作　安徽省博物館藏

題識：黃山老人峰至文殊院途中小景　壬辰　八十九叟賓虹

鈐印：黃賓虹　冰上鴻飛館

山水 紙本 縱九七厘米 橫四三·七厘米 浙江省博物館藏

山水

紙本　縱九六厘米　橫四五·五厘米　浙江省博物館藏

山水 紙本 縱七二厘米 橫三九·六厘米 浙江省博物館藏

山水　紙本　縱八八厘米　横三六厘米　私人藏

鑒藏題識：畫家以積墨爲難　賓虹先生從石谿清谿築基　上追北苑南宮　長于運水運墨　層纍叠積　爲近代真能得元氣淋漓嶂猶濕者　此幀證之　戊戌芙蓉開候　壽

鑒藏印：潘天壽印　藏之倉谷

鈐印：黄賓虹　竹窗

黃山西海門　紙本　縱八八・八厘米　橫三〇・三厘米　一九五二年作　浙江省博物館藏

題識：黃山西海門諸峰　壬辰　八十九歲賓虹

鈐印：黃賓虹　竹窗

山水 紙本 縱九〇·八厘米 橫三三·三厘米 浙江省博物館藏
鈐印：潭上質印 賓虹

山水　紙本　縱六八·二厘米　橫三一·四厘米　浙江省博物館藏

鈐印：賓虹　潭上質印

山水 紙本 縱八四·五厘米 橫三一厘米 浙江省博物館藏

鈐印：賓虹

山水 紙本 縱九三·三厘米 橫三九·一厘米 浙江省博物館藏

鈐印：黃賓虹印

湖山初霽　紙本　縱七五·六厘米　横四六厘米　一九五二年作　浙江省博物館藏

題識：湖山初霽　壬辰　賓虹年八十有九

鈐印：黃賓虹印　綠雪軒

山水 紙本 縱六七厘米 橫三四厘米 浙江省博物館藏

山水

紙本　縱八七厘米　橫三四厘米　浙江省博物館藏

山水　紙本　縱九五・六厘米　横四三厘米　一九五二年作　浙江省博物館藏

題識：畫圖粉本札緘開　濠塈天然費剪裁　高閣軒窗虛四面　仙鄉縹渺接蓬萊

春融花木紀南天　四序風光亦變遷　容有貌離神合處　會心琴趣訪成連

挹翠閣主人屬正　壬辰　賓虹年八十有九

鈐印：黃賓虹　取諸懷抱

山水　紙本　縱八八·六厘米　橫三一·五厘米　浙江省博物館藏

鈐印：賓虹

山水 紙本 縱八五·六厘米 橫三一·七厘米 浙江省博物館藏

鈐印：黄賓虹 賓虹草堂 竹窗

山水　紙本　縱六二·一厘米　橫二九·九厘米　浙江省博物館藏

山水 紙本 縱九四厘米 橫三三厘米 浙江省博物館藏

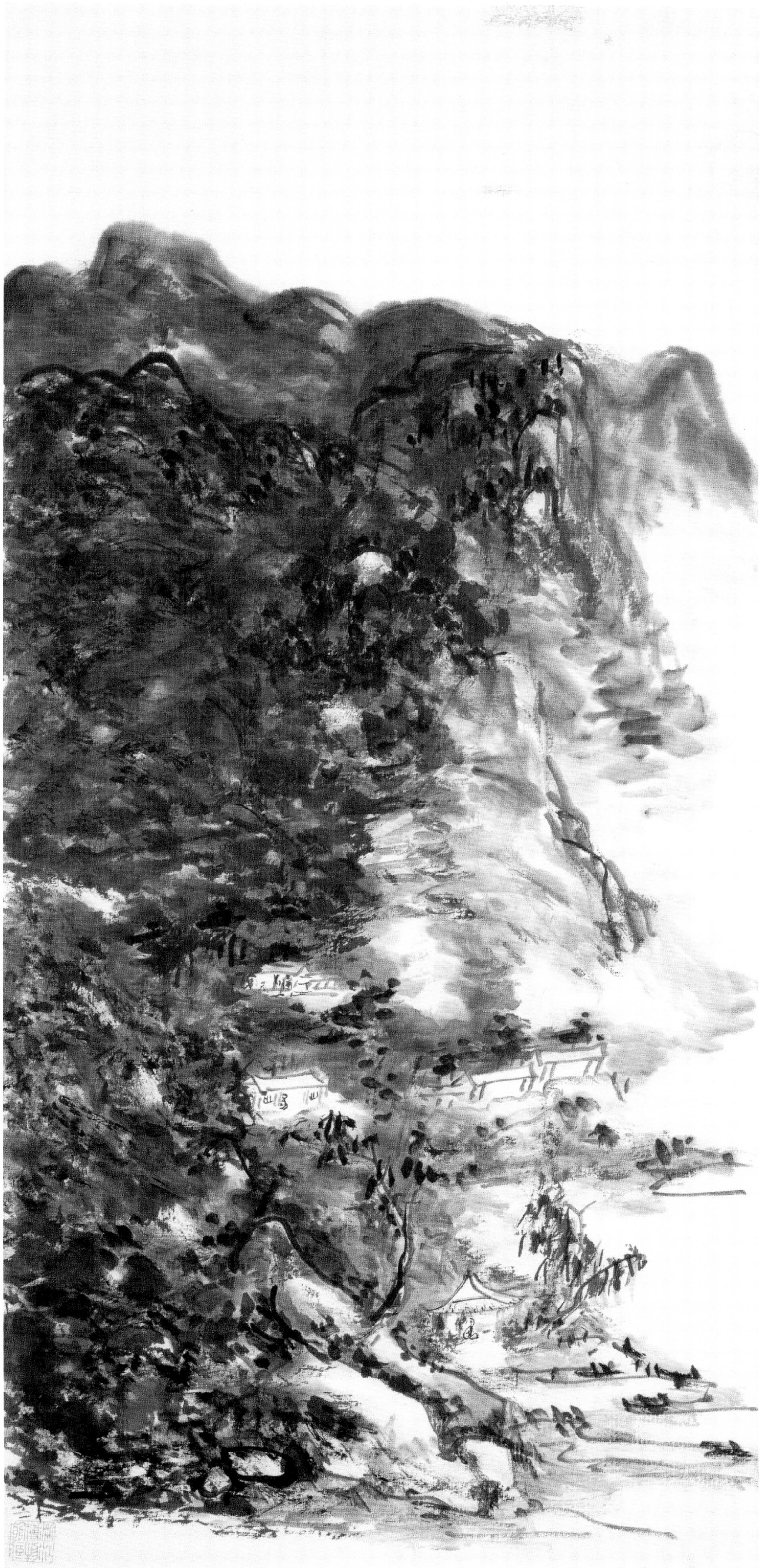

山水 紙本 縱六九·五厘米 橫三二厘米 浙江省博物館藏

山水　紙本　縱六七·四厘米　橫三三·七厘米　浙江省博物館藏

鈐印：黄賓虹印

山水 紙本 縱九八·一厘米 橫四六·二厘米 浙江省博物館藏

鈐印：黄賓虹印

西溪山水 紙本 縱一〇三厘米 橫五六·八厘米 一九五二年作 香港緣山堂藏

題識：西溪水源出自天目 澗道紆回 境最幽邃 玆寫其意 壬辰 賓虹年八十又九

鈐印：黃賓虹 冰上鴻飛館

山水 紙本 縱八五厘米 橫四八厘米 浙江省博物館藏

山水
紙本　縱一一九·七厘米　橫四五·一厘米　浙江省博物館藏

山水

紙本　縱九六·七厘米　橫四四厘米　浙江省博物館藏

山水
紙本　縱九八厘米　横四八厘米　浙江省博物館藏

山水

紙本　縱一〇二厘米　橫四〇厘米　浙江省博物館藏

山水　紙本　縱九六厘米 橫四〇厘米　一九五二年作　香港緣山堂藏

題識：明季啓禎間　畫宗北宋　筆意遒勁　超軼前人　婁東虞山漸即凌替　及清道咸復興而墨法過之　茲擬包安吳意　居素吾兄有道博笑　壬辰　賓虹年八十又九

鈐印：黃賓虹　黃山山中人

山水

紙本　縱九六厘米　横四四・五厘米　浙江省博物館藏

山水

紙本　縱三二厘米　橫一一四厘米　浙江省博物館藏

山水 紙本 縱七八·一厘米 橫四八厘米 一九五二年作 浙江省博物館藏

題識：宋元人渴筆法 剛而能柔 潤而不枯 得一辣字訣耳 居素吾兄大雅一笑 壬辰 賓虹年八十又九

山水　紙本　縱七六・五厘米　橫四一・五厘米　浙江省博物館藏

山水　紙本　縱九六厘米　橫四三·五厘米　浙江省博物館藏

山水

紙本 縱七五·一厘米 橫三九厘米 浙江省博物館藏

山水　紙本　縱一一二厘米　橫四八厘米　一九五二年作　香港緣山堂藏

題識：天然圖畫海山居　朝暮陰晴望眼舒　五色雲霞都燦爛　四時花木不蕭疏

因緣翰墨情無已　游戲文壇樂有餘　太古鴻濛得元氣　未經渾沌鑿開初　奉和

挹翠閣主人原韵　輞川詩畫勝仙居　千里封緘一卷舒　求友鶯鳴君鄭重　應聲

蟲語我空疏　國風比興倫常始　水墨丹青韵事餘　至性深情托毫素　壽徵懿德

稟生初　再步前韵　恭祝仲鳴先生五十初度　笑正是荷　壬辰　賓虹年八十又九

鈐印：黃賓虹　冰上鴻飛館

山水 紙本 縱八六・四厘米 橫四六・五厘米 浙江省博物館藏

鈐印：賓虹 賓公

山水　紙本　縱八二厘米　橫三七厘米　浙江省博物館藏

山水 紙本 縱八六·七厘米 橫三二·四厘米 浙江省博物館藏

鈐印：黃賓公印

山水 紙本 縱一一七厘米 横四五·五厘米 浙江省博物館藏

山水　紙本　縱七五·三厘米　橫三一·一厘米　浙江省博物館藏

鈐印：黄賓虹印

山水

紙本　縱三二厘米　橫九四厘米　浙江省博物館藏

山水　紙本　縱九三厘米　橫四五厘米　一九五二年作　香港緣山堂藏

題識：道州何蝯叟爲芋香館主　寫人物山水　無一不精　渾厚華滋　直得北宋神髓　擬之殊未易似　壬辰　八十九叟賓虹

鈐印：黄賓虹　取諸懷抱

山水

紙本 縱八八·五厘米 橫三二厘米 浙江省博物館藏

山水 紙本 縱九五厘米 橫四三厘米 安徽省博物館藏
鈐印：虹廬

山水　紙本　縱九八厘米　橫四五厘米　一九五二年作　香港緣山堂藏
題識：安吳包慎伯著藝舟雙楫　于漢魏六朝人書法闡發精詳　觀其所畫山水
沉雄渾厚　可謂以八法通于六法者矣　擬之以寄仰止云　壬辰　八十九叟賓虹
鈐印：黃賓虹　取諸懷抱

山水　紙本　縱七二·八厘米　橫三二·五厘米　浙江省博物館藏

鈐印：黃賓虹

玉泉紀游 紙本 縱七六·一厘米 橫三三·二厘米 一九五二年作 浙江省博物館藏

題識：玉泉紀游 寫其林壑幽翳之趣 八十九叟賓虹

鈐印：黃賓虹 片石居

山水 紙本 縱七〇·七厘米 橫三〇·五厘米 浙江省博物館藏

題識：用范華原法 賓公

鈐印：黄賓虹 竹窗

山水 紙本 縱七四·七厘米 橫三九·八厘米 浙江省博物館藏
鈐印：賓虹

山水 紙本 縱八七·八厘米 橫三六·八厘米 一九五二年作 浙江省博物館藏

題識：前清道咸 金石學盛 繪畫稱爲復興 茲一擬之 壬辰 八十九叟賓虹

鈐印：賓虹

山水
紙本 縱九七厘米 橫四四厘米 浙江省博物館藏

山水

紙本　縱一二〇厘米　橫四八厘米　浙江省博物館藏

山水 紙本 縱七五厘米 橫三三厘米 浙江省博物館藏
鈐印：黄賓虹印

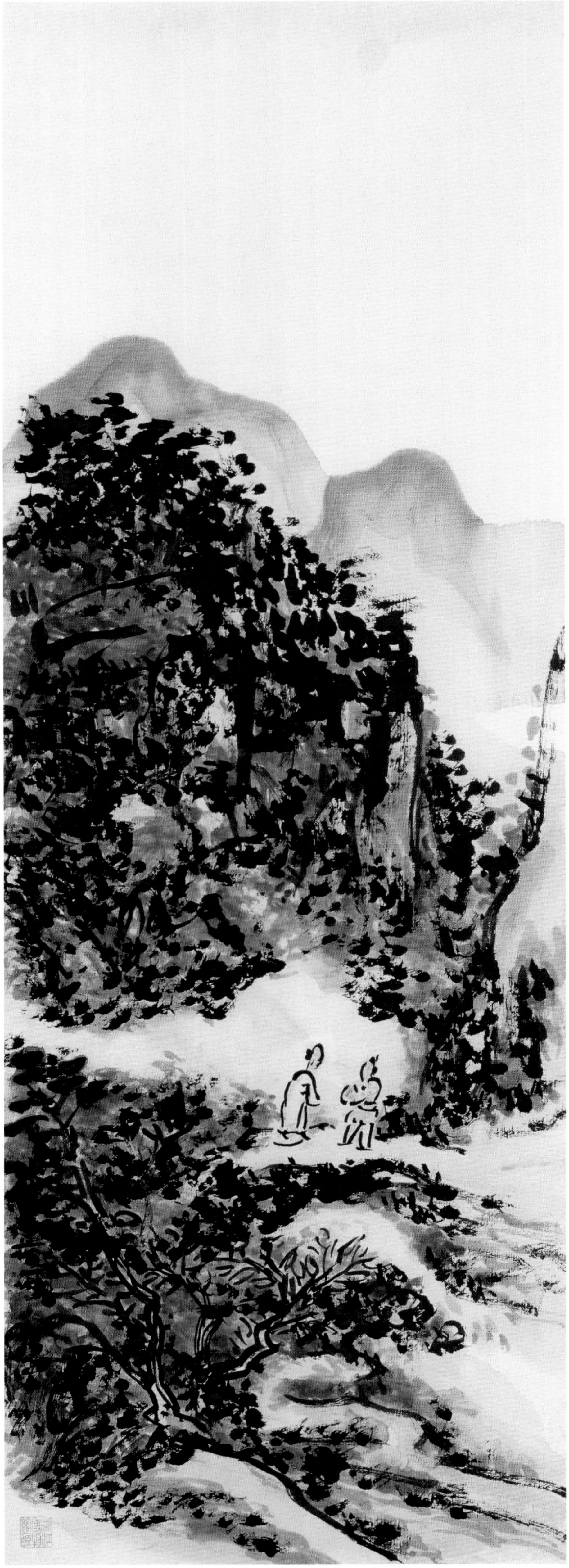

山水

紙本　縱九四厘米　橫三三·五厘米　浙江省博物館藏

山水　紙本　縱九七·五厘米　橫三四厘米　浙江省博物館藏

西湖皋亭　紙本　縱九四・二厘米　橫三〇・六厘米　一九五二年作　中國美術館藏

題識：李檀園舊居西湖皋亭　茲寫大略　壬辰　賓虹

鈐印：黃賓虹　冰上鴻飛館

山水 紙本 縱九六厘米 橫四六厘米 浙江省博物館藏

山水

紙本　縱七二厘米　橫三三厘米　浙江省博物館藏

山水

紙本　縱九四厘米　橫四七厘米　浙江省博物館藏

山水 紙本 縱九六·五厘米 橫四四厘米 浙江省博物館藏

鈐印：黄賓虹印

湖山泛舟 紙本 縱九六厘米 橫四二厘米 一九五二年作 浙江省博物館藏

題識：北宋人畫雲中山頂 一變唐畫刻露平板之習 入秋泛舟湖上寫此

壬辰 八十九叟賓虹擬古

鈐印：黃賓虹 冰上鴻飛館

五龍潭小景　紙本　縱八二・六厘米　橫三〇・八厘米　浙江省博物館藏

題識：五龍潭小景　賓虹

鈐印：黃賓虹

山水

紙本　縱一一〇厘米　橫四八厘米　浙江省博物館藏

山水　紙本　縱九六厘米　橫四四·四厘米　浙江省博物館藏

鈐印：黄賓虹印

山水 紙本 縱九七·六厘米 橫四三·九厘米 浙江省博物館藏

山水 紙本 縱一〇三厘米 橫三五厘米 浙江省博物館藏

山水　紙本　縱八九厘米　横四八厘米　浙江省博物館藏

山水

紙本　縱六五厘米　橫三四厘米　浙江省博物館藏

山水　紙本　縱九七厘米　橫四三厘米　一九五二年作　上海市美術家協會藏

題識：荊浩關仝取王摩詰二李之長　變爲水墨丹青合體　遂爲繪畫正宗　至清道咸而極興盛　近觀包安吴所作山水擬此　壬辰　八十九叟賓虹

鈐印：黃賓虹　冰上鴻飛館

山水

紙本 縱八七厘米 橫三二·五厘米 浙江省博物館藏

山水

紙本　縱九六厘米　橫四四厘米　浙江省博物館藏

山水 紙本 縱九六·五厘米 橫三三厘米 浙江省博物館藏

山水 紙本 縱一四三厘米 橫五四厘米 浙江省博物館藏

山水

紙本　縱一一七厘米　橫六九厘米　浙江省博物館藏

山水 紙本 縱一一二厘米 橫四八厘米 浙江省博物館藏

擬黃公望筆意山水 紙本 縱九二厘米 橫四三厘米 一九五二年作 香港緣山堂藏

題識：曩游虞山 訪耦耕堂遺址 爲錢牧齋程松圓讀書處 今已林巒岑寂 擬大痴筆意寫之 壬辰 賓虹年八十又九

鈐印：黃賓虹 冰上鴻飛館

山水　紙本　縱九八·四厘米　橫四八·一厘米　浙江省博物館藏

山水 紙本 縱六八厘米 橫三七厘米 浙江省博物館藏

山水 紙本 縱八五·三厘米 橫四七·二厘米 浙江省博物館藏

山水 紙本 縱九六・三厘米 橫四四・四厘米 浙江省博物館藏

山水　紙本　縱九六・三厘米　橫四四・四厘米　一九五二年作　浙江省博物館藏

題識：前人謂山水畫古不如今　道咸中特過啓禎諸賢　倪鴻寶自題所作山水言　梅道人若見之當下揖　揖其善變耳　壬辰　八十九叟賓虹

鈐印：黃賓虹　取諸懷抱

山水

紙本　縱九六厘米　橫四一厘米　浙江省博物館藏

山水

紙本　縱二〇厘米　橫九五厘米　浙江省博物館藏

山水

紙本　縱一一八厘米　橫四五·五厘米　浙江省博物館藏

山水

紙本　縱九六厘米　橫四八厘米　浙江省博物館藏

山水

紙本　縱九七厘米　橫四〇・六厘米　浙江省博物館藏

江行所見 紙本 縱二〇厘米 橫一一〇厘米 一九五二年作 香港緣山堂藏
題識：江行所見 漫興圖之 壬辰 賓虹年八十又九
鈐印：黄賓虹 取諸懷抱

山水

紙本　縱九六·九厘米　橫四四·二厘米　浙江省博物館藏

山水 紙本 縱八七·五厘米 橫四〇厘米 浙江省博物館藏

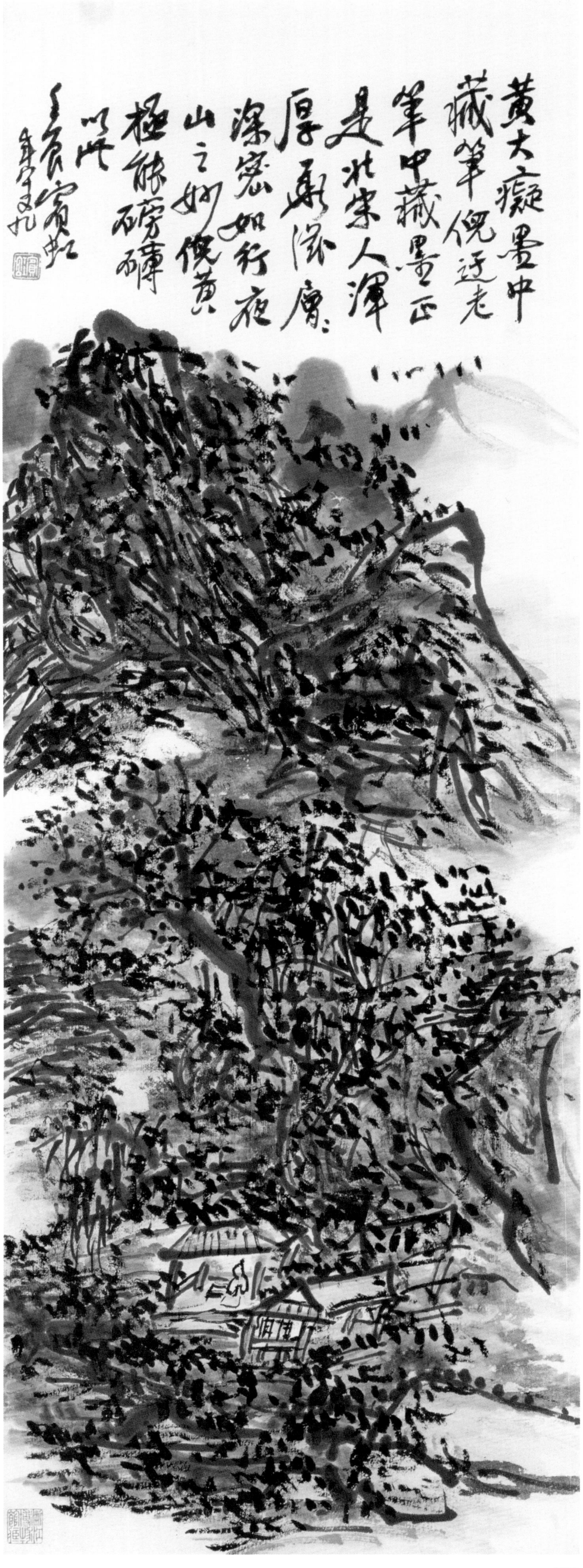

山水 紙本 縱八六·五厘米 橫三一·一厘米 一九五二年作 浙江省博物館藏

題識：黄大痴墨中藏筆 倪迂老筆中藏墨 正是北宋人渾厚華滋 層層深密 如行夜山之妙 倪黄極能磅礴以此 壬辰 賓虹年八十又九

鈐印：賓虹

山水

紙本　縱八三厘米　橫三〇・五厘米　浙江省博物館藏

山水　紙本　縱九六·七厘米　橫四三·九厘米　浙江省博物館藏

山水

紙本　縱一〇四厘米　横四八厘米　浙江省博物館藏

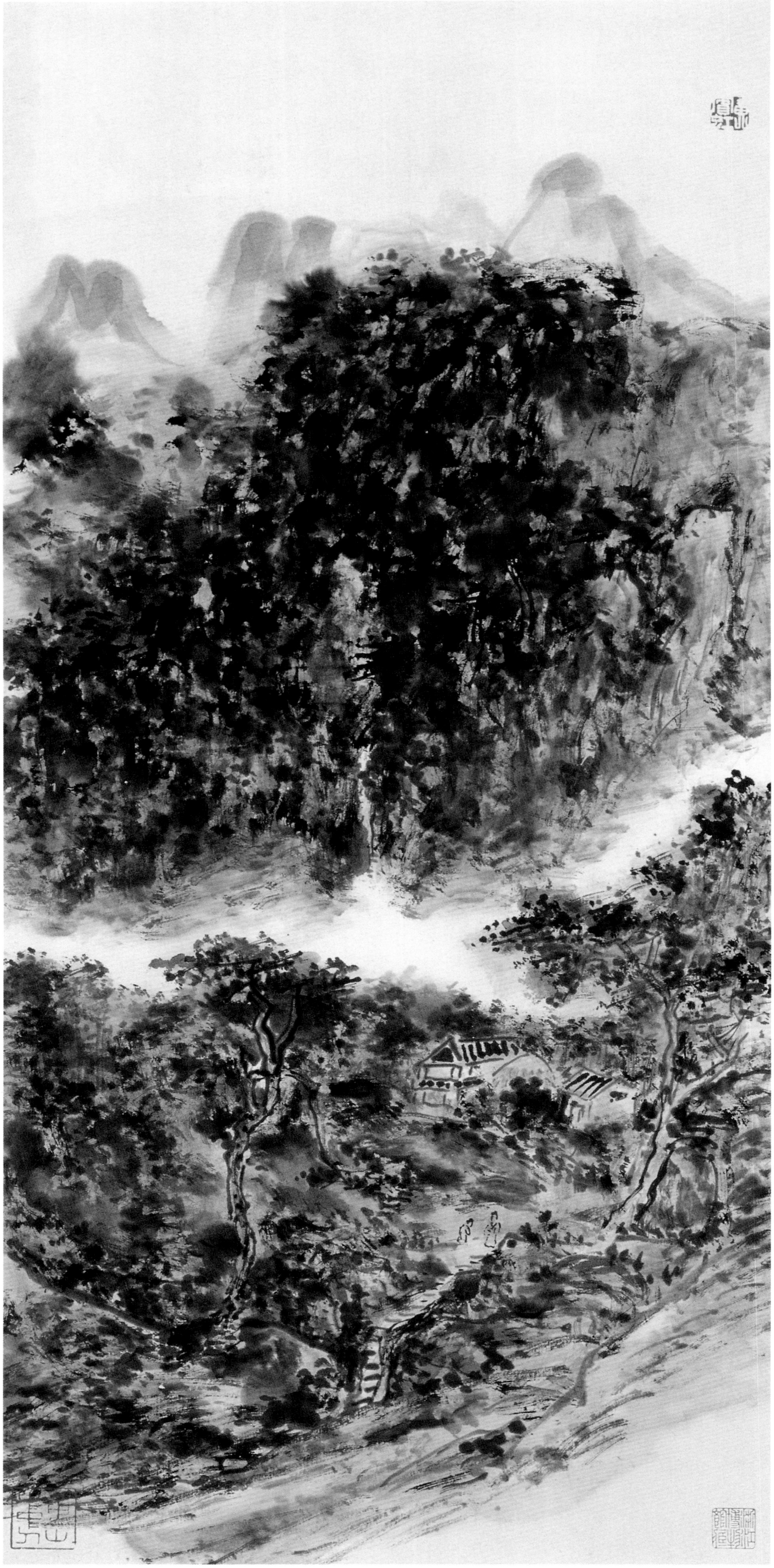

山水 紙本 縱七三厘米 橫三三厘米 浙江省博物館藏

鈐印：黄賓虹 黄山山中人

山水 紙本　縱六七・九厘米　橫四一・二厘米　浙江省博物館藏
鈐印：賓虹

蜀中山水　紙本　縱九〇·七厘米　橫三一·六厘米　一九五二年作　浙江省博物館藏

題識：北宋人畫積點而成　層層深厚　雲間婁東用兼皴帶染法　淒迷瑣碎　去古已遠
茲以漬墨寫蜀中山水爲之　壬辰　賓虹年八十又九

鈐印：賓公

山水

紙本　縱一〇一・三厘米　橫三七・二厘米　浙江省博物館藏

余登峨眉看洗象池，下瞰梵宫貝宇金。瑠輝煌，林巒山青。眾瞬忽狂飈，密霧瀰漫。眾巒層層深，厚為之留連。不忍捨去。

峨嵋山水　紙本　縱九一·三厘米　橫四〇·五厘米　一九五二年作　浙江省博物館藏

題識：余登峨嵋洗象池　下瞰梵宮貝宇　金碧輝煌　林巒青紫　瞬忽狂飆密霧　瀰漫衆壑層層深厚　爲之留連不忍捨去　壬辰　八十九叟賓虹

酒

山水　紙本　縱九一·五厘米　橫三二厘米　浙江省博物館藏

山水 紙本 縱九六·五厘米 橫四三·八厘米 浙江省博物館藏

山水

紙本　縱一一八厘米　橫四八厘米　浙江省博物館藏

山水

紙本　縱一〇六厘米　橫五二厘米　浙江省博物館藏

山水

紙本　縱八九厘米　橫三二厘米　浙江省博物館藏

山水　紙本　縱八五厘米　橫三二厘米　浙江省博物館藏

山水 紙本 縱八四厘米 橫三三厘米 浙江省博物館藏

柳陰晚渡 紙本 縱五七·八厘米 橫三一·四厘米 浙江省博物館藏

題識：柳陰晚渡 賓虹

鈐印：黃賓虹

山水 紙本 縱八六·五厘米 橫四九厘米 一九五二年作 香港綠山堂藏

題識：清道咸中金石學盛 繪事由明啓禎諸賢上溯北宋 一掃婁東虞山柔靡之習 歐化東漸 日益淩替 玆以包安吳筆意參之 壬辰 八十九叟黃賓虹

鈐印：黃賓虹 取諸懷抱

山水 紙本 縱八五厘米 橫四七・九厘米 浙江省博物館藏
鈐印：黃賓虹印

山水 紙本 縱六九厘米 橫三二·八厘米 一九五二年作 浙江省博物館藏

題識：巨然墨法 自米氏父子高房山吳仲圭一脉相承 學者宗之 及董玄宰用兼皴帶染法 婁東虞山日益凌替 至道咸爲之中興 八十九叟賓虹

鈐印：黃賓虹

山水　紙本　縱八二·七厘米　横三一厘米　浙江省博物館藏

鈐印：賓虹

山水 紙本 縱七一·九厘米 橫三一·二厘米 浙江省博物館藏

題識：唐人算子學奴書 道子吴裝水墨無 北宋荆關開畫訣 虚當求實法倪迂 壬辰 賓虹年八十又九重題

鈐印：賓虹

山水 紙本 縱六七·七厘米 橫三六·二厘米 浙江省博物館藏

鈐印：黃賓虹 竹窗

山水 紙本 縱八一·七厘米 橫三一·七厘米 浙江省博物館藏

鈐印：潭上質印 賓虹

山水　紙本　縱八五·五厘米　橫三五·七厘米　浙江省博物館藏
鈐印：黄賓虹印

山水　紙本　縱七二·七厘米　橫三九·五厘米　浙江省博物館藏

山水　紙本　縱八八厘米　橫三六厘米　浙江省博物館藏

山水 紙本 縱六一·二厘米 橫三一·六厘米 浙江省博物館藏

鈐印：黄質私印 樸居士 竹窗

策　　劃・姜衍波　奚天鷹　王經春
主　　編・王伯敏
執行副主編・王經春
副 主 編・王肇達　趙雁君
分卷主編・童中燾　王克文　陸秀競　王大川
文字總監・梁　江
導　　語・駱堅群
責任編輯・田林海　王勝華　俞建華　王肇達
釋　　文・俞建華　王宏理
文字審校・俞建華
裝幀設計・毛德寶　俞佳迪　王肇達　田林海　王勝華
責任校對・黃　静
圖片攝影・葛立英　鄭向農

圖書在版編目（CIP）數據

黄賓虹全集.2，山水卷軸/《黄賓虹全集》編輯委員會編.—濟南：山東美術出版社；杭州：浙江人民美術出版社，2006.12（2014.4重印）
ISBN 978-7-5330-2333-1

Ⅰ.黄… Ⅱ.黄… Ⅲ.山水畫-作品集-中國-現代 Ⅳ.J222.7

中國版本圖書館CIP數據核字（2007）第015469號

出品人：姜衍波　奚天鷹

出版發行：山東美術出版社
濟南市勝利大街三十九號（郵編：250001）
http://www.sdmspub.com
電話：（0531）82098268　傳真：（0531）82066185
山東美術出版社發行部
濟南市勝利大街三十九號（郵編：250001）
電話：（0531）86193019　86193028
浙江人民美術出版社
杭州市體育場路三四七號（郵編：310006）
http://mss.zjcb.com
電話：（0571）85176548
浙江人民美術出版社營銷部
杭州市體育場路三四七號十九樓（郵編：310006）
電話：（0571）85176089　傳真：（0571）85102160

製版印刷：深圳華新彩印製版有限公司

開本印張：787×1092毫米　八開　四十二印張

版　次：二〇〇六年十二月第一版　二〇一四年四月第三次印刷

定　價：柒佰捌拾圓